◀ **Niveau inte**

Claire **Miquel**
Anne **Goliot-Lété**

Vocabulaire
Progressif
du **F**rançais

2ᵉ ÉDITION

avec 375 exercices

Corrigés

CLE
INTERNATIONAL
www.cle-inter.com

Édition : Christine Grall
Mise en pages : CGI
Couverture : Fernando San Martín
© CLE International / Sejer, 2011
ISBN : 978-2-09-038129-0

SOMMAIRE

Chapitre 1   Présentations et usages

Exercices p. 7

1 1. V → vous – **2.** V → tu – **3.** V → tu – **4.** F → tu (s'ils sont amis) / vous (s'ils ne sont pas amis) – **5.** F → vous – **6.** F → tu.

2 1. Mathilde / madame – **2.** Quentin / mon chéri – **3.** Deux – **4.** Bisous / Je vous embrasse / Grosses bises – **5.** On peut se serrer la main – **6.** vous.

3 1. F – **2.** V – **3.** V – **4.** V – **5.** V – **6.** V.

Exercices p. 9

1 1. Je vous en prie, madame. – **2.** Je t'en prie. – **3.** Asseyez-vous, je vous en prie. – **4.** Après vous, je vous en prie.

2 1. Je t'en prie. – **2.** Oui, ça va mieux. / Je vais mieux, merci. / Non, pas vraiment. – **3.** Je vous en prie, ce n'est pas grave. – **4.** Oui, ça nous va (très bien) / Non, nous sommes déjà pris. – **5.** Très bien, merci. / Ça peut aller. / Pas trop mal. Et vous ? – **6.** Oui, ça a été, tout s'est bien passé. / Non, ça s'est (assez) mal passé. – **7.** Il n'y a pas de quoi. / Je vous en prie. – **8.** Mais oui, tout ira bien !

3 1. d – **2.** e – **3.** f – **4.** b – **5.** g – **6.** c – **7.** a.

Exercices p. 11

1 1. Noël – **2.** Toutes mes félicitations ! / Tous mes vœux de bonheur ! – **3.** À tes souhaits ! – **4.** Bon anniversaire ! – **5.** Tous mes vœux ! / Bonne année ! – **6.** Bravo ! – **7.** Bon courage ! / Bonne chance !

2 1. c – **2.** d – **3.** f – **4.** b – **5.** g – **6.** a – **7.** e.

3 1. À la tienne ! / À la vôtre ! / Tchin-tchin ! – **2.** Bonne année ! / Tous mes vœux !

Chapitre 2 La famille

Exercices p. 13

1 1. F – **2.** V – **3.** V – **4.** V – **5.** F – **6.** F – **7.** V – **8.** V – **9.** V – **10.** F.

2 1. nièces et neveux – **2.** filles – **3.** parents – **4.** cousin – **5.** petite-fille – **6.** cousine – **7.** beau-frère – **8.** beaux-parents – **9.** tante – **10.** belle-sœur.

3

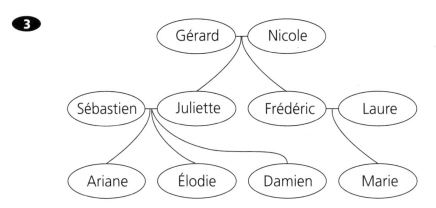

Exercices p. 15

1 1. parent éloigné – **2.** d'enfants – **3.** famille recomposée – **4.** gendre – **5.** le petit dernier – 6. belle-fille.

2 1. famille nombreuse – **2.** l'aînée, cadette – **3.** jumelles – **4.** jumeaux – **5.** air de famille – **6.** belle-sœur – **7.** belle-mère, cousins.

Chapitre 3 Les relations – Les sentiments

Exercices p. 17

1 1. V – **2.** F – **3.** V – **4.** F – **5.** F – **6.** F.

2 1. Amitié – **3.** Amour – **4.** Amour – **6.** Amour – **7.** Amour, amitié – **9.** Amitié – **10.** Amitié.

3 rencontré, tombés, foudre, entend, m'installer, mariage, noces, lune, marier, amoureuse.

Exercices p. 19

1 1. on entend bien – **2.** l'entente – **3.** mon copain – **4.** mari – **5.** le ménage – **6.** La réconciliation.

2 1. a, b – **2.** b, c – **3.** a, c.

3 Gaspard et Margot se sont rencontrés en 1996. Ça a été immédiatement le coup de foudre. Ils se sont installés ensemble en 1998 et ont vécu une grande passion. Après ces trois années de vie en concubinage, ils se sont mariés à l'église en 2001. Ils se sont très bien entendus pendant cinq ans. Ensuite, en 2006, ils ont commencé à se disputer régulièrement. Deux ans après, Gaspard a rencontré Solène et ça a été la grande crise entre Gaspard et Margot. Ils ont divorcé en 2009. Mais en 2010, Gaspard et Solène ne s'entendaient déjà plus et ont commencé aussi à se disputer. Ils se sont séparés l'année suivante et Gaspard s'est retrouvé seul et célibataire.

Exercices p. 21

1   **1.** c, d – **2.** f, h – **3.** g – **4.** d – **5.** a, d – **6.** b, e.

2   **1.** divorcé – **2.** célibataire – **3.** pacsées – **4.** marié – **5.** veuf – **6.** célibataire.

3   1. le décès, à l'enterrement, abattue – **3.** faisait une tête d'enterrement – **4.** rupture, fond en larmes, se réconcilier, rencontré quelqu'un / entamé une nouvelle relation.

Exercices p. 23

1   **1.** la colère – **2.** l'admiration – **3.** la déception – **4.** la pitié – **5.** la honte – **6.** l'antipathie – **7.** la fierté.

2   **1.** partage – **2.** trouve – **3.** ai / ressens / éprouve, rend – **4.** faire – **5.** manifesté – **6.** inspire, éprouves / as – **7.** ressente / éprouve, inspirent – **8.** avait.

Chapitre 4 Le caractère – La personnalité

Exercices p. 25

1   **1.** patient – **2.** bon caractère – **3.** merveilleuse – **4.** d'intelligent – **5.** de douceur – **6.** le sens de l'humour.

2   **Très négatif :** Elle est d'une méchanceté incroyable. Il est vraiment antipathique. C'est quelqu'un de très dur. Il est absolument odieux.
Négatif : Ils manquent de patience. Il n'est pas gentil du tout. C'est quelqu'un de paresseux. Elle n'est pas très généreuse.
Positif : Elle a bon caractère. Elle est assez cultivée. Ils sont aimables. Elle ne manque pas d'autorité.
Très positif : Il est fantastique. Elle est vraiment chouette. Il est très intelligent. Elle est super.

3   **1.** c – **2.** b – **3.** e – **4.** a – **5.** d.

4   **1.** V – **2.** F – **3.** F – **4.** V – **5.** V – **6.** V – **7.** V.

Exercices p. 27

1   **1.** soigneux – **2.** ambitieuse – **3.** rigoureux – **4.** superficielle – **5.** travailleuse – **6.** doux – **7.** autoritaire – **8.** mou.

2   **1.** Il n'est pas sérieux du tout. – **2.** Elle est bête comme ses pieds. – **3.** Il est très intéressant. – **4.** Il manque de bonté. – **5.** Elle n'est pas bavarde.

3 **1.** Un médecin doit avoir le sens du contact humain, être calme, patient, méthodique et rigoureux. – **2.** Un moniteur de ski doit être patient et avoir le sens du contact humain. – **3.** Un chef d'entreprise doit avoir de l'ambition, de l'autorité et être dynamique. – **4.** Un détective doit travailler avec rigueur, méthode et précision. Il doit être persévérant et faire preuve d'imagination et de curiosité, voire d'indiscrétion. – **5.** Un électricien doit être calme et adroit et travailler avec précision et attention. – **6.** Un guide touristique doit avoir de la fantaisie, le sens du contact humain et le sens de l'humour ; il doit être dynamique et faire preuve d'ouverture d'esprit. – **7.** Un diplomate doit être calme, avoir le sens du contact humain et le sens de la négociation.

Chapitre 5 Le temps qui passe

Exercices p. 29

1 **1.** est - Aujourd'hui, on est… – **2.** sera - Mardi prochain, on sera le… – **3.** tombe - Le Premier de l'an tombe un… – **4.** C'est quand - C'est le…

2 **1.** Pâques – **2.** la fête du travail / le 1er mai – **3.** le 14 juillet – **4.** Noël – **5.** Le 1er janvier – **6.** le 11 novembre.

Exercices p. 31

1 **1.** avez – **2.** il est – **3.** se lève – **4.** tombe – **5.** grand jour – **6.** moins – **7.** coucher – **8.** Midi.

2 **1.** e – **2.** d – **3.** g – **4.** a – **5.** c – **6.** b – **7.** f.

3 **1.** V – **2.** F – **3.** F – **4.** F – **5.** F – **6.** V – **7.** F - **8.** F.

Exercices p. 33

1 **1.** soirée – **2.** journée / matinée – **3.** semaine – **4.** soir – **5.** d'affilée / de suite – **6.** du jour – **7.** jours / ans – **8.** soirée.

2 **1.** a passé – **2.** fin – **3.** le jour et la nuit – **4.** semaine, le, grasse – **5.** les horaires – **6.** d'affilée / de suite – **7.** début – **8.** matinal.

3 **1.** V – **2.** F – **3.** F – **4.** F – **5.** V – **6.** F – **7.** F.

Exercices p. 35

1 **1.** je me dépêche car je suis toujours pressé(e) – **2.** j'en ai perdu – **3.** je n'ai pas le temps – **4.** elle a été retardée – **5.** j'en ai pour (très) peu de temps. **6.** elle l'a eu.

2 1. ont passé – **2.** passe – **3.** annuler / reporter / remettre – **4.** faut – **5.** avons mis – **6.** repoussée / reportée / remise – **7.** avez – **8.** est.

3 1. Cet homme est très pressé et doit se dépêcher. Il n'a pas eu le temps de prendre son petit déjeuner. Il a un train à prendre, mais il va peut-être le rater. **2.** Cet homme prend son petit déjeuner tranquillement. Il prend son temps. Il n'a pas besoin de se dépêcher, il n'est pas pressé : il prend le temps de lire son journal.

Chapitre 6 La météo – Le climat

Exercices p. 37

1 1. Les températures sont en hausse. – **2.** Le ciel est chargé. – **3.** un hiver doux – 4. fraîcheur.

2 1. F – **2.** V – **3.** V – **4.** F – **5.** V – **6.** F – **7.** F – **8.** V.

3 1. Les températures sont supérieures aux normales de saison. **2.** Les températures sont en baisse. / Ça se refroidit. – **3.** L'hiver dernier a été froid / rigoureux / rude. – **4.** Le ciel est dégagé. – **5.** Il va faire très mauvais. Il va faire un temps affreux. – **6.** Il fait très / extrêmement chaud. / Il fait une chaleur torride. – **7.** Ça se refroidit. / Les températures sont en baisse. – **8.** Le temps s'améliore.

4 2. froid – **3.** refroidi, perdu – **4.** hausse – **5.** normales saisonnières – **6.** chaleur – **7.** canicule.

Exercices p. 39

1 1. f – **2.** g – **3.** d – **4.** a – **5.** c – **6.** e – **7.** b.

2 1. On annonce une pluie battante et des rafales de vent. – **2.** Hier, il a fait très beau / un temps superbe / un temps splendide avec juste une petite brise. – **3.** L'été dernier, nous avons eu une chaleur insupportable pendant un mois et demi. – **4.** Demain, il pleuvra à torrents / nous aurons une pluie battante, on prévoit beaucoup de vent. – **5.** Le ciel a été couvert / il a fait gris, nuageux toute la semaine, mais le temps va s'améliorer la semaine prochaine. – **6.** Cette année, nous n'avons pas eu de giboulées au printemps. – **7.** Il est tombé quelques flocons (de neige) ce matin, mais on prévoit une tempête de neige pour la nuit prochaine. – **8.** C'est la sécheresse depuis des mois.

3 1. annonce / prévoit – **2.** à torrents / à verse – **3.** la sensation de froid – **4.** Les routes sont glissantes. / Ça glisse sur les routes. / Il y a du verglas sur les routes. – **5.** un arc-en-ciel – **6.** du brouillard.

1   **1.** Il s'agit d'un ouragan accompagné d'une tornade. Les vents extrêmement violents et les pluies diluviennes emportent les maisons sur leur passage et provoquent des dégâts importants. – **2.** C'est l'hiver, il fait très froid et il y a une tempête de neige. Il a gelé, les routes et les trottoirs sont glissants. – **3.** Il fait grand soleil et très sec. Il fait une chaleur torride. – **4.** C'est un orage d'été : le ciel est très chargé, il fait lourd. Il y a des éclairs et du tonnerre. Il y a beaucoup de vent et il pleut très fort.

2   **1.** climat méditerranéen – **2.** climat polaire – **3.** climat tropical humide – **4.** climat océanique – **5.** climat continental.

3   **1.** changements – **2.** réchauffement – **3.** fossiles – **4.** environnement – **5.** gaz à effet de serre – **6.** réduire – **7.** renouvelables.

Chapitre 7 Nature et environnement

Exercices p. 43

1   **1.** légume – **2.** arrosoir – **3.** fruitier – **4.** potager.

2   **1.** sur les roses – **2.** fanées – **3.** comme une rose – **4.** cueilli – **5.** jardinier – **6.** une tomate / une pivoine – **7.** le sapin / l'arbre.

3   **1.** campagne, rural, village, potager, verger, rivière, forêt, pelouse, bouquet, cueilli – **2.** jardin, planté, pots / jardinières, arrose, arrosoir – **3.** trèfle, gazon / jardin.

Exercices p. 45

1   **1.** F – **2.** F – **3.** V – **4.** F – **5.** V – **6.** V – **7.** V – **8.** F – **9.** V – **10.** F.

2   **1.** d – **2.** c – **3.** h – **4.** g – **5.** a – **6.** f – **7.** b – **8.** e.

Exercices p. 47

1   **1.** terre – **2.** par terre – **3.** de terre – **4.** Terre – **5.** terre – **6.** par terre.

2   **1.** marée noire – **2.** raz-de-marée – **3.** séismes – **4.** volcan – **5.** déforestation.

3   **1.** pollution, installés, campagne, aboient, tondeuses, pelouse / gazon, centrale – **2.** environnement, écologiste, accidents / catastrophes, nucléaires, renouvelables, solaires, éoliennes, agneaux.

Chapitre 8 Le corps - La santé

Exercices p. 49

1 1. doigt – **2.** main – **3.** tête – **4.** nez – **5.** yeux – **6.** langue – **7.** épaules – **8.** reins – **9.** jambe – **10.** sourcils – **11.** dos – **12.** ventre – **13.** bras, bras – **14.** pied, fesses.

2 1. cou – **2.** côte – **3.** vertèbre – **4.** cheville – **5.** nez – **6.** sein – **7.** visage – **8.** colonne vertébrale.

Exercices p. 51

1 1. odorat – **2.** toucher – **3.** vue – **4.** goût – **5.** ouïe – **6.** odorat – **7.** goût.

2 1. Il en a plein le dos. / Il en a par-dessus la tête. – **2.** Ça se voit comme le nez au milieu de la figure. / Ça saute aux yeux. – **3.** Il n'a pas les pieds sur terre. / Il n'a pas la tête sur les épaules. – **4.** Ils se sont retrouvés nez à nez. – **5.** Je n'ai pas fermé l'œil de la nuit. – **6.** Il en a plein le dos. / Il en a par-dessus la tête. – **7.** Ça saute aux yeux. / Ça se voit comme le nez au milieu de la figure. – **8.** Il a les pieds sur terre. / Il a la tête sur les épaules.

3 1. écouter, entendait – **2.** regarde – **3.** voit – **4.** entend – **5.** écouter – **6.** regarder – **7.** voit – **8.** Regarde.

Exercices p. 53

1 1. oui, deux – **2.** oui, une – **3.** non, un – **4.** non, une – **5.** oui, dix – **6.** non, un – **7.** non, un – **8.** non, deux – **9.** oui, deux – **10.** non, un – **11.** oui, deux – **12.** non, deux.

2 1. V – **2.** V – **3.** F – **4.** F – **5.** F – **6.** V – **7.** F.

3 1. poumons – **2.** muscles – **3.** estomac – **4.** nerfs – **5.** sang – **6.** peau – **7.** cardiaque, nerfs – **8.** nage.

4 1. Elle a bon cœur. – **2.** Il l'a dans la peau. – **3.** Il garde son sang-froid. – **4.** Elle est bien dans sa peau. – **5.** Il se fait du mauvais sang. / Il se fait un sang d'encre. – **6.** Il ment comme il respire.

Exercices p. 55

1 1. se fait du mauvais sang, se faire opérer – **2.** en très mauvaise santé / atteint d'une grave maladie, souffre pas – **3.** mal au cœur, blanche comme un linge – 4. en très bonne santé, épanoui.

2 1. d – **2.** h – **3.** j – **4.** b – **5.** e – **6.** a – **7.** g – **8.** i – **9.** f – **10.** c.

3 1. musclée – **2.** Tu es déprimé – **3.** elle a beaucoup d'appétit – **4.** je souffre du sommeil – **5.** il est en forme – **6.** elle est malade – **7.** il est guéri – **8.** tu as les nerfs fragiles.

Chapitre 9 L'apparence

Exercices p. 57

1 1. très grand – **2.** obèse – **3.** petit – **4.** mince – **5.** maigre.

2 1. C'est un grand brun aux yeux bleus. – **2.** C'est une petite blonde aux cheveux longs. – **3.** C'est un beau blond aux yeux gris. – **4.** C'est une grande rousse aux cheveux courts. – **5.** C'est une petite brune aux cheveux bouclés.

3 1. a – **2.** les – **3.** perdre, kilos – **4.** maigre, régime – **5.** pèse – **6.** mince, mesure, pèse.

4 1. Elle est petite et un peu ronde. Elle se pèse sur une balance : elle a pris quelques kilos car elle a mangé trop de gâteaux. Elle doit faire un régime pour perdre du poids. – **2.** Il est grand et mince, il a les cheveux roux et un grand nez.

Exercices p. 59

1 1. fait – **2.** petite fille – **3.** une soixantaine – **4.** jeune homme – **5.** vieille – **6.** jeune.

2 1. Oh oui, elle est mignonne. – **2.** Oh oui, il est séduisant. – **3.** Oui, il est moustachu. – **4.** Oh non, il est laid / moche ! – **5.** Oh oui, elle est élégante / coquette. – **6.** Oh oui, elle est superbe / magnifique. – **7.** Oui, il est barbu. – **8.** Oh oui, il est adorable.

3 1. comment – **2.** un dieu – **3.** a – **4.** années, fait, âge – **5.** grand – **6.** combien – **7.** a, couleur – **8.** les yeux – **10.** moche – **11.** grosse – **12.** plaît – **13.** belle.

Exercices p. 61

1 1. peau – **2.** rides – **3.** poivre et sel – **4.** foncé – **5.** chauve – **6.** traits – **7.** dégradés.

2 1. C'est une jeune femme d'environ trente-cinq ans. Elle a les cheveux roux et longs. Elle a le teint pâle et des taches de rousseur. Elle est un peu ronde. Elle est bien coiffée, élégante et soignée. – **2.** C'est une petite fille blonde au visage rond. Elle porte des lunettes et une queue de cheval. – **3.** C'est un jeune homme d'environ 20 ans. Il est brun aux cheveux courts et a le teint mat. Il a le type plutôt méditerranéen. Il est très mince.

Chapitre 10 Les vêtements – La mode

Exercices p. 63

1 **1.** un peignoir – **2.** habillée, de soirée – **3.** une doudoune – **4.** un gilet, un chemisier – **5.** manches – **6.** débardeur, haut.

2 **1.** V – **2.** V – **3.** F – **4.** V – **5.** V – **6.** F – **7.** V – **8.** V – **9.** V – **10.** V.

3 **1.** la robe de chambre – **2.** le pull – **3.** le smoking – **4.** la jupe – **5.** l'anorak – **6.** la tenue – **7.** le bermuda.

4 **1.** Il porte un jean bleu foncé, un pull à col roulé bleu turquoise et un sweat à capuche rose. – **2.** Elle porte un ensemble pantalon et veste vert clair et un pull à col rond jaune. – **3.** Elle porte une jupe plissée bleu clair, un haut rose pâle et un gilet marron foncé.

Exercices p. 65

1

```
Z   E   L   L   I   T   Y   O   P   M
D   E   A   C   R   N   D   A   I   M
A   I   O   C   Y   J   K   V   T
D   E   N   T   E   L   L   E   E   T
S   A   E   O   S   O   I   E   L   O
X   E   U   N   A   N   I   P   O   I
C   U   I   R   A   G   F   U   U   L
W   I   L   L   I   N   C   O   R   E
F   O   U   R   R   U   R   E   S   O
```

2 **1.** V – **2.** F – **3.** F – **4.** V – **5.** F – **6.** F – **7.** V – **8.** F – **9.** V – **10.** F.

3 **1.** lingerie – **2.** soutien-gorge – **3.** culotte – **4.** collants, bas, rayures – **5.** caleçon, poids.

Exercices p. 67

1 **1.** la cravate – **2.** le pendentif – **3.** les lunettes de soleil – **4.** le bonnet – **5.** le parapluie – **6.** la broche – **7.** la casquette.

2 **1.** t'habilles – **2.** mettre – **3.** me changer, reste, retire – **4.** me mettre.

3 **1.** une ceinture, des bretelles – **2.** un chapeau, un parapluie – **3.** une cravate, un nœud papillon – **4.** un bonnet, une écharpe, des gants – **5.** des lunettes de soleil – **6.** un foulard, des gants, un sac à main.

Exercices p. 69

1   **1.** faites – **2.** moulante – **3.** pointure – **4.** à la main – **5.** plaît – **6.** serrées – **7.** neuves – **8.** confortables – **9.** fait.

2   **1.** c – **2.** g – **3.** d – **4.** a – **5.** e – **6.** h – **7.** f – **8.** b.

3   **1.** aller – **2.** froisse – **3.** faire – **4.** au-dessus – **5.** assorti – **6.** à la mode – **7.** serrent.

Chapitre 11 La maison – Le logement

Exercices p. 71

1   **1.** F – **2.** F – **3.** V – **4.** F – **5.** F – **6.** V.

2   **1.** porte d'entrée – **2.** l'immeuble – **3.** gardienne – **4.** l'ascenseur – **5.** étage – **6.** une clé – **7.** serrure – **8.** la porte – **9.** l'entrée – **10.** clé – **11.** rez-de-chaussée – **12.** boîtes aux lettres – **13.** l'interphone – **14.** escalier.

3   **1.** range, repeins, chauffe – **2.** ouvre, répare – **3.** réparons, peignons – **4.** répare, peint, ferme – **5.** ouvres, fermes.

4   La jeune femme fait des travaux dans sa chambre, située sous les toits : elle commence par enlever le vieux papier peint à fleurs. Ensuite, elle repeindra les murs.

Exercices p. 73

1   **1.** un canapé – **2.** un portemanteau – **3.** une couette – **4.** une chaise – **5.** une poubelle – **6.** un carton.

2   **1.** désordre – **2.** jetons, poubelle – **3.** canapé – **4.** micro-ondes – **5.** chevet – **6.** cintres, penderie – **7.** robinet – **8.** oreiller – **9.** mobilier – **10.** évier.

3   **1.** F – **2.** V – **3.** V – **4.** V – **5.** F – **6.** F.

4   Dans cette chambre bien rangée, on peut voir un grand lit avec deux oreillers et une couette bleus, un fauteuil, une penderie avec des cintres, une commode, une table de chevet avec une lampe de chevet et un réveil. Sur le fauteuil, il y a un coussin assorti au rideau.

Exercices p. 75

1   **1.** parquet – **2.** couverts – **3.** évier – **4.** serviette – **5.** moquette – **6.** matelas – **7.** miroir – **8.** serviette.

2 1. un tapis – **2.** une bibliothèque – **3.** un canapé / un divan – **4.** un tableau – **5.** un réveil – **6.** un oreiller – **7.** des rideaux – **8.** un miroir – **9.** une baignoire – **10.** des bibelots.

3 1. une femme soignée, élégante, ordonnée – **2.** une petite fille – **3.** un adolescent – **4.** une personne âgée – **5.** un intellectuel dans sa maison de campagne.

Exercices p. 77

1 1. Françoise – **2.** Nicole – **3.** Solange – **4.** Romain.

2 1. V – **2.** F – **3.** F – **4.** F – **5.** V – **6.** V – **7.** F – **8.** V.

Chapitre 12 Les activités quotidiennes

Exercices p. 79

1 1. e – **2.** d – **3.** f – **4.** a.

2 1. me lever, me préparer, prendre, lire, faire, réveille, habille – **2.** me lever, réveille, me dépêcher – **3.** me lève, me couche, dors – **4.** déshabille, couche, endormir – **5.** essuyer, mettras, nous mettre – **6.** fait, débarrassé.

Exercices p. 81

1

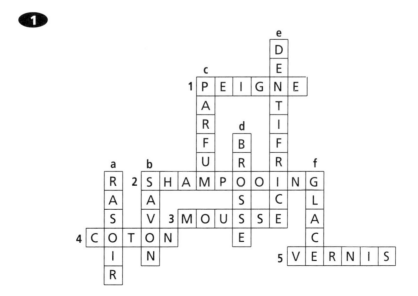

2 1. prendre, douche – **2.** me laver, shampooing – **3.** bain – **4.** dépêcher, me faire, rouge, maquiller – **5.** coucher, me brosser / me laver, démaquiller, endormir, réveiller.

Exercices p. 83

1 1. je l'étends – **2.** je l'essuie – **3.** je le range – **4.** je me couche – **5.** je m'essuie – **6.** je me les rince – **7.** je m'endors.

2 1. faire – **2.** faire – **3.** se faire – **4.** faire – **5.** se faire – **6.** faire – **7.** faire.

3 1. le coton, le lait démaquillant – **2.** le balai, l'aspirateur, le chiffon – **3.** le balai – **4.** le fer à repasser – **5.** du parfum, de l'eau de toilette – **6.** le balai-brosse, la serpillière – **7.** le savon – **8.** la brosse, le peigne.

4 1. laver – **2.** se laver – **3.** se laver – **4.** laver – **5.** se laver – **6.** se laver – **7.** laver – **8.** laver.

5 1. Ils sont arrivés dans la maison le matin à dix heures. – **2.** Toute la matinée, ils ont balayé, passé l'aspirateur, enlevé la poussière des meubles avec des chiffons et lavé les vitres. – **3.** À une heure, ils sont allés déjeuner au petit restaurant du village. – **4.** L'après-midi, ils ont nettoyé la salle de bains et la cuisine avec des éponges et des produits d'entretien. Ils ont aussi lavé les sols avec une serpillière et un balai-brosse. – **5.** À six heures, le ménage était terminé. Ils ont pris une bonne douche. – **6.** Ils ont dîné à huit heures, puis ont débarrassé la table et ont fait la vaisselle. – **7.** À neuf heures et demie, ils ont lu le journal. – **8.** Ils sont allés se coucher à onze heures et ont bien dormi. – **9.** Le lendemain, ils se sont réveillés et levés à huit heures et ont pris leur petit déjeuner au soleil dans le jardin : les vacances pouvaient commencer.

Chapitre 13 Le commerce

Exercices p. 85

1 1. V – **2.** V – **3.** V – **4.** F – **5.** F – **6.** V – **7.** V.

2 1. courses – **2.** vitrines – **3.** me faire – **4.** grandes surfaces – **5.** l'étiquette – **6.** un vêtement – 7. chariot.

3 1. emballe – **2.** fait – **3.** chariot / caddie – **4.** demande – **5.** offrir – **6.** faire.

4 1. les produits biologiques – **2.** un paquet-cadeau – **3.** l'étiquette – **4.** les vitrines – **5.** les produits fermiers.

Exercices p. 87

1 1. un vase, un bibelot – **2.** cahiers, enveloppes, stylos – **3.** marchés – **4.** un dictionnaire – **5.** va au marché, marchande, fait le marché. – **6.** fruits.

2 1. d – **2.** g – **3.** f – **4.** a – **5.** h – **6.** c – **7.** b – **8.** e.

3 1. Denise va au marché aux puces. – **2.** Sébastien va chez le fleuriste. – **3.** Joëlle va à la librairie. – **4.** Matthieu va à la pharmacie. – **5.** François va chez le fromager du marché. – **6.** Guillaume va faire le marché. – **7.** Alain va au bureau de tabac.

4 1. F – **2.** F – **3.** V – **4.** F – **5.** V – **6.** F – **7.** F.

Exercices p. 89

1 1. un pot de miel – **2.** une bouteille d'huile d'olive – **3.** une barquette de framboises – **4.** un flacon de Chanel n° 5 – **5.** une tranche, une boîte de pâté – **6.** une botte d'oignons nouveaux – **7.** un paquet de biscottes – **8.** un tube de dentifrice.

2 1. une livre – **2.** une douzaine – **3.** tube – **4.** beau – **5.** botte – **6.** tablette.

3 1. une livre – **2.** une dizaine – **3.** une demi-livre – **4.** une quinzaine – **5.** un litre.

4 1. chez le marchand de journaux – **2.** chez le marchand de fruits et légumes – **3.** chez le fleuriste, à la parfumerie, dans un grand magasin, à la librairie, à la papeterie, au bureau de tabac – **4.** chez le fromager – **5.** à la pharmacie – **6.** au supermarché – **7.** au marché aux puces – **8.** au supermarché – **9.** à la librairie – **10.** chez le fromager, chez le charcutier.

Exercices p. 91

1 1. à combien – **2.** une fortune – **3.** sont – **4.** dois – **5.** coûte – **6.** folie – **7.** donné – **8.** réclamation – **9.** le ticket.

2 1. Les fraises sont à combien ? – **2.** Quel est le prix de ce manteau ? / Je voudrais savoir le prix de ce manteau. – **3.** Je vous dois combien, Docteur ? – **4.** Ça fait combien ? – **5.** Combien coûte la location d'un vélo pour une demi-journée, s'il vous plaît ? – **6.** C'est combien ? – **7.** Je te dois combien ?

3 1. J'ai fait une bonne affaire. / Je les ai eues pour trois fois rien. / Je les ai eues pour une bouchée de pain. – **2.** C'est de la folie ! / Ce n'est pas donné ! – **3.** Il n'est pas donné, je vais réfléchir. – **4.** Je l'ai eue pour une bouchée de pain / pour trois fois rien. – **5.** C'est un prix normal / raisonnable. – **6.** Il coûte une fortune ! C'est de la folie !

Chapitre 14 Cuisine – Restaurant – Café

Exercices p. 93

1 1. minute – **2.** un moule – **3.** le couvercle – **4.** Le manche – **5.** une cafetière – **6.** plateau – **7.** une passoire.

2   **1.** une poêle – **2.** un saladier, une balance, une casserole, un fouet, un moule à gâteau – **3.** une cocotte-minute – **4.** une passoire – **5.** un batteur – **6.** une planche à découper, un couteau – **7.** des couverts à salade et un saladier – **8.** une balance – **9.** un plat à four – **10.** un ouvre-boîte.

3   **1.** faire, tablier – **2.** fouet, batteur, casserole, cuisinière – **3.** entonnoir – **4.** rouleau, moule – **5.** manique – **6.** casserole / cocotte, spatule.

Exercices p. 95

1   beurre – confiture – miel, café – cafetière – bol, lait, pain.

2   nappe, assiettes, couverts, couteau, serviettes, tire-bouchon, bouteille, verres.

Exercices p. 97

1   **1.** du vin – **2.** digestif, alcool – **3.** après – **4.** une infusion – **5.** potable – **6.** apéritif – **7.** rouge, frais, sec, blanc.

2   **1.** F – **2.** V – **3.** V – **4.** V – **5.** V – **6.** F – **7.** F – **8.** F.

3   **1.** l'addition – **2.** un pourboire – **3.** la carte des vins – **4.** les amuse-gueules – **5.** l'eau du robinet – **6.** le service – **7.** le maître d'hôtel.

Exercices p. 99

1   **1.** une eau minérale ou un jus de fruits – **2.** un sandwich – **3.** une omelette au fromage ou aux pommes de terre, une assiette de frites ou une pizza – **4.** un café ou un déca – **5.** une assiette de crudités – **6.** un café, un déca, un café crème, un thé, un chocolat chaud, une infusion.

2   **1.** au restaurant – **2.** au café et au restaurant – **3.** au café – **4.** au restaurant – **5.** au restaurant – **6.** au restaurant – **7.** au restaurant – **8.** au café – **9.** au restaurant – **10.** au café et au restaurant.

3   **1.** V – **2.** F – **3.** V – **4.** F – **5.** F – **6.** V – **7.** F – **8.** F.

4   Ce gâteau est magnifique ! La décoration est splendide ! Ce gâteau est vraiment appétissant ! Il a l'air délicieux. Je vais me régaler…

Chapitre 15 Loisirs – Jeux – Sports

Exercices p. 101

1   **1.** F – **2.** V – **3.** F – **4.** F – **5.** V – **6.** F.

2 1. faire – 2. s'est déguisé – 3. battre – 4. sortent – 5. s'ennuie – 6. me suis reposé(e) – 7. consacre.

3 1. d – 2. e – 3. a – 4. c – 5. f – 6. b.

4 1. jouer aux échecs – 2. faire les magasins – 3. sortir en boîte – 4. faire du jardinage – 5. jouer à la poupée.

Exercices p. 103

1 1. le match, la compétition – 2. gagnante – 3. le record – 4. disputent, participent à – 5. une médaille – 6. battu – 7. dopés – 8. la championne.

2 1. f – 2. a – 3. e – 4. b – 5. d – 6. c.

3 1. joueur – 2. s'entraîne, entraîneur – 3. participe, tournois, chelem – 4. gagné – 5. raquette – 6. disputer – 7. adversaire.

4 1. une médaille – 2. le grand chelem – 3. le champion – 4. l'entraîneur – 5. le record du monde – 6. le filet.

Exercices p. 105

1 1. L'athlète – 2. respecter – 3. une faute – 4. stade – 5. Le cavalier – 6. maillot.

2

		c		d						
		B								
1	S	A	U	T						
		L		O						
C		L		U						
2 P	A	T	I	N	O	I	R	E		
R		N		N			e			
3 S	T	A	D	E		O	C			
O	b	4 M	A	I	L	L	O	T		
5 L	A	N	C	E	R		U			
O		6 A	R	B	I	T	R	E		
7 B	U	T		S						
P	8 E	Q	U	I	P	E				
E										

3 1. cycliste – 2. marathon – 3. joueurs / footballeurs – 4. gardien de but – 5. public – 6. supporters – 7. athlètes.

Exercices p. 107

1 1. V – 2. F – 3. V – 4. V – 5. F – 6. V – 7. V – 8. V.

2 1. saut – **2.** ballon – **3.** arbitre – **4.** ring – **5.** piste – **6.** gradins – **7.** paroi – **8.** piste.

3 1. de l'escalade, du ski nautique – **2.** aux cartes, au ping-pong – **3.** faire de la natation, faire de la voile – **4.** une compétition, un tournoi – **5.** les cartes, le record du monde.

4 1. e – **2.** h – **3.** f – **4.** g – **5.** a – **6.** c – **7.** b – **8.** d.

Chapitre 16 Transports – Circulation

Exercices p. 109

1 1. Il s'agit d'un TGV. – **2.** Oui, il comprend une réservation. La place réservée se situe dans la voiture 17. C'est la place 23, à côté de la fenêtre. – **3.** Ce train part de Genève. Sa destination est Paris. – **4.** Il part le 17 avril à 19 h 41. Il arrive le même jour à 22 h 49. – **5.** La personne voyage en seconde classe.

2 1. F – **2.** F – **3.** V – **4.** F – **5.** F – **6.** F – **7.** V.

3 1. correspondance – **2.** échangeable, remboursable – **3.** provenance – **4.** raté – **5.** buffet – **6.** obligatoire.

Exercices p. 111

1 1. Juliette peut prendre un bateau et faire une croisière jusqu'à Athènes. – **2.** Je lui conseille l'avion. – **3.** Louis va prendre le car. – **4.** Je lui conseille le train. – **5.** S'il n'aime pas le métro, Mourad peut prendre le bus, éventuellement le tram ou bien sa voiture s'il en a une ou encore le vélo.

2 1. l'équipage – **2.** le quai – **3.** les heures de pointe – **4.** les passagers – **5.** une escale – **6.** le capitaine – **7.** un paquebot – **8.** un vol.

3 1. V – **2.** F – **3.** F – **4.** V – **5.** F – **6.** F – **7.** V – **8.** V.

4 1. décoller – **2.** embarquent – **3.** changer – **4.** font – **5.** descendre – **6.** fait.

Exercices p. 113

1 1. F – **2.** F – **3.** V – **4.** F – **5.** V – **6.** V – **7.** V – **8.** V – **9.** F – **10.** V.

2 1. recule – **2.** attache / met – **3.** répare – **4.** freine – **5.** faire – **6.** accélère – **7.** rentre – **8.** change, passe – **9.** tourner – **10.** réviser.

3 1. e – **2.** a – **3.** d – **4.** c – **5.** b.

4 1. L'automobiliste doit freiner. – **2.** virages – **3.** phares – **4.** attache – **5.** accélère – **6.** fait le plein – **7.** garagiste.

Exercices p. 115

1 1. d – **2.** e – **3.** f – **4.** g – **5.** b – **6.** a – **7.** c.

2 1. limitée – **2.** d'affluence – **3.** bouchons – **4.** place – **5.** doubler / dépasser – **6.** passer – **7.** respecter, vitesse.

3 1. b – **2.** a – **3.** a – **4.** b – **5.** a – **6.** b – **7.** a.

Chapitre 17 Le tourisme – Les vacances

Exercices p. 117

1 1. V – **2.** F – **3.** F – **4.** F – **5.** F – **6.** V.

2 1. les préparatifs – **2.** sont – **3.** un plan – **4.** tente – **5.** réserve – **6.** fait – **7.** colonie – **8.** partir – **9.** un sac.

3 1. Elle prépare ses affaires pour partir en vacances à l'étranger : elle rassemble son billet d'avion, son passeport, une carte de la région et son appareil photo. Comme elle va faire du camping, elle doit aussi emporter une tente et un sac de couchage. – **2.** Ils sont dans un club de vacances dans un pays tropical, au soleil, où tout est organisé et compris dans le prix : les repas sous les cocotiers et toutes sortes d'activités (ski nautique, planche à voile, etc.).

Exercices p. 119

1 1. d – **2.** e – **3.** f – **4.** c – **5.** a – **6.** b.

2 1. faisons – **2.** ramassent – **3.** nager – **4.** passent – **5.** vous êtes baignés – **6.** part / sera – **7.** planter, prendre.

3 1. F – **2.** F – **3.** V – **4.** F – **5.** V – **6.** F.

4 La famille est en vacances à la campagne. Les parents se reposent pendant que les enfants jouent au ballon. Le père lit le journal dans une chaise longue, la mère prend un bain de soleil.

Exercices p. 121

1 1. d – **2.** a – **3.** g – **4.** h – **5.** f – **6.** c – **7.** b – **8.** e.

2 1. randonnée – **2.** historiques – **3.** idées – **4.** circuit, le tour – **5.** prendre – **6.** dépaysé – **7.** d'excursions.

3 1. randonnée – **2.** exotique / dépaysant – **3.** désert – **4.** croisière – **5.** escales.

Chapitre 18 L'enseignement

Exercices p. 123

1 1. F – **2.** F – **3.** V – **4.** V – **5.** F – **6.** V – **7.** V – **8.** F – **9.** F – **10.** F.

2 1. c – **2.** h – **3.** i – **4.** f – **5.** b – **6.** a – **7.** j – **8.** d – **9.** g – **10.** e.

3 institutrice, maîtresse, élève, primaire, redoublé, mes études, étudiant, professeur, secondaire.

Exercices p. 125

1

```
        b                    d
 1 | C | L | A | S | S | E | U | R |        | T |
   a   | T |                              | R |
 2 | C | R | A | Y | O | N | c             | O |
   | A |   | L |       | F |               | U |
   | H | 3 | G | O | M | M | E             | S |
   | I |   | L |       | U |               | S |
   | E |           4 | L | I | V | R | E |
 5 | R | È | G | L | E |   | L |
                         | L |
 6 | C | A | R | T | A | B | L | E |
```

2 1. Le cours d'anglais se passe dans une salle. – **2.** Les élèves font du sport au gymnase ou au terrain de sport. – **3.** Les élèves déjeunent à la cantine. – **4.** Un élève emprunte un livre à la bibliothèque. – **5.** Le professeur écrit ses explications au tableau.

3 1. l'école – **2.** instituteur / maître – **3.** la rentrée / la rentrée des classes – **4.** à la cantine / à l'école – **5.** ce sont les grandes vacances.

Exercices p. 127

1 1. Elle aime le français – **2.** Elle déteste les maths. – **3.** Il adore la récréation. – **4.** Sa matière préférée est le sport. – **5.** À seize ans, il aime déjà beaucoup la biologie. – **6.** Elle est actuellement en troisième année de droit. – **7.** Il s'intéresse beaucoup à la philosophie.

2   **1.** moyenne – **2.** mention – **3.** mémoire, bibliographie – **4.** passer, redoubler – **5.** valider, exposé, dossier – **6.** passer, s'inscrire, disciplines.

3   Baptiste est entré à l'école maternelle à trois ans. À six ans, il est entré à l'école primaire où il a appris à lire, à écrire et à compter. À onze ans, il est entré au collège. Il a commencé à s'intéresser aux matières scientifiques, mais a eu quelques difficultés en français. Il a terminé sa quatrième avec une moyenne de 8/20 et a dû redoubler. Il est entré au lycée à 16 ans et ses années de seconde, première et terminale se sont bien passées. Pendant ces trois années, il s'est passionné pour la technique et la technologie. Il a passé un bac scientifique à dix-huit ans et a obtenu une mention bien. Après le bac, il est entré en classe prépa scientifique. Puis il a réussi le concours d'entrée à Supelec où il est devenu ingénieur. Il a eu son premier travail à vingt-cinq ans.

Exercices p. 129

1   **1.** Romain enseigne. – **2.** Alexandra enseigne. – **3.** Léo est élève. – **4.** Ségolène est élève. – **5.** Sergueï enseigne. **6.** Laura enseigne. – **7.** Tim est élève. – **8.** Leïla peut être enseignante ou élève.

2   **1.** Kevin est attentif et vivant. – **2.** Marie est distraite. – **3.** Adrien est très doué. – **4.** Ce professeur est très sévère, autoritaire, strict. – **5.** Anaël est sérieux, travailleur. – **6.** Julie est très paresseuse.

3   **1.** e – **2.** h – **3.** g – **4.** a – **5.** f – **6.** c – **7.** j – **8.** d – **9.** b – **10.** i.

Chapitre 19 La vie professionnelle

Exercices p. 131

1   **1.** pompier – **2.** interprète – **3.** kinésithérapeute – **4.** Directeur des ressources humaines (DRH) – **5.** sage-femme – **6.** avocat – **7.** informaticien – **8.** chauffeur de taxi.

2   **1.** un coiffeur, une coiffeuse – **2.** un maçon – **3.** une femme de ménage – **4.** une infirmière – **5.** un instituteur ou un professeur. – **6.** un pompier.

3   **1.** assistante – **2.** maître d'hôtel – **3.** responsable des achats – **4.** dessinateur – **5.** journalistes – **6.** infirmières – **7.** esthéticienne – **8.** ingénieurs – **9.** livreurs.

1   **1.** Léo est agriculteur. – **2.** Denis est retraité. – **3.** Anne est une intellectuelle. – **4.** Michèle est cadre. – **5.** Luc est chômeur. – **6.** Roland est commerçant. – **7.** Véronique est ouvrière. – **8.** Mourad est chef d'entreprise. Il est patron d'une PME.

2

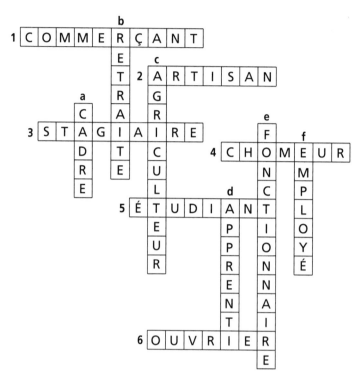

Exercices p. 135

1   **1.** dans – **2.** de – **3.** fait – **4.** gère – **5.** ennuyeux – **6.** promotion, cadre.

2   **1.** augmentation – **2.** gagne – **3.** fait, poche – **4.** comme, payé – **5.** s'occupe – **6.** dans – **7.** d'argent.

3   **1.** V – **2.** F – **3.** F – **4.** V – **5.** F – **6.** F – **7.** F.

Chapitre 20 La technologie

Exercices p. 137

1   **1.** Non, je le débranche. – **2.** Non, je l'ai jeté. – **3.** Non, je les ai effacées. – **4.** Non, je l'éteins. – **5.** Non, je l'ai ouvert.

2   **1.** V – **2.** F – **3.** F – **4.** F – **5.** V – **6.** V – **7.** V – **8.** F.

3   **1.** télécharger – **2.** prise – **3.** coupé – **4.** sauvegarde – **5.** êtes – **6.** la cartouche.

4   allumer, stocker, dur, effacé, clé.

Exercices p. 139

1 1. devant – **2.** programme – **3.** regarder – **4.** casque – **5.** télécommande – **6.** poste – **7.** appuyer – **8.** mets.

2 1. F – **2.** V – **3.** F – **4.** F – **5.** F – **6.** V.

3 1. une parabole / une antenne parabolique, le câble – **2.** le son – **3.** le journal télévisé – **4.** le caméscope – **5.** la télécommande – **6.** un feuilleton – **7.** le lecteur de DVD.

4 1. mets, regardes – **2.** baisser – **3.** poste de télévision / téléviseur – **4.** stations – **5.** éteint – **6.** accès, antenne – **7.** informations – **8.** feuilleton.

Exercices p. 141

1 1. V – **2.** V – **3.** F – **4.** F – **5.** F – **6.** F – **7.** F – **8.** V.

2 1. est – **2.** sonne – **3.** réseau – **4.** laisser – **5.** rappellerai – **6.** avez eu – **7.** joindre – **8.** composer.

3 1. mon ordinateur, mon téléphone mobile – **2.** contacte, joint – **3.** décrochons, raccrochons – **4.** radio, télévision – **5.** du téléphone, de la télécommande, du clavier – **6.** ordinateur, poste – **7.** télécharger, mettre, écouter, regarder.

4 1. le téléphone, l'ordinateur, la télécommande – **2.** une touche – **3.** un poste de télévision, un poste de radio, un transistor, un ordinateur, un téléphone mobile, un caméscope, un lecteur-graveur de DVD, une chaîne hi-fi, un lecteur MP3, un autoradio – **4.** un coup de fil, un coup de téléphone – **5.** un ordinateur, un téléviseur, un poste de radio, une chaîne hi-fi, un téléphone fixe, un lecteur-graveur de DVD – **6.** On peut baisser le son ou utiliser un casque.

Chapitre 21 L'argent – La banque

Exercices p. 143

1 1. b – **2.** b – **3.** a – **4.** a – **5.** b – **6.** b – **7.** b.

2 1. F – **2.** F – **3.** F – **4.** V – **5.** V – **6.** F – **7.** V.

3 1. fait, signe, remplit – **2.** le montant, la date, l'ordre – **3.** règle, paye – **4.** de l'argent, la monnaie, l'appoint – 5. un billet, la monnaie.

4 1. réglez / payez – **2.** espèces / liquide, monnaie, billet – **3.** rendre, monnaie.

Exercices p. 145

1 1. débiteur – 2. ouvert, alimenté – 3. mon compte – 4. d'économiser, d'épargner – 5. par prélèvement, par chèque – 6. verse, dépose – 7. un virement, ses comptes.

2 1. V – 2. V – 3. F – 4. F – 5. V – 6. V – 7. V – 8. V.

3 relevé, fait, découvert, rouge, côté, approvisionner / alimenter, solde.

4 1. retirer, distributeur de billets – 2. approvisionner – 3. déposer – 4. perçoit / reçoit – 5. débiteur / à découvert – 6. virer – 7. taper.

Exercices p. 147

1 1. e, f – 2. e, f – 3. c, f, g – 4. d – 5. a – 6. b, f – 7. c, e, f.

2 1. Elle a prêté son dictionnaire. – 2. Elle a emprunté de l'argent. – 3. Elle prête de l'argent. – 4. Elle a prêté de l'argent. – 5. Elle emprunte un stylo. – 6. Elle a emprunté de l'argent.

3 1. Yaëlle et Antoine vont emprunter de l'argent / faire un emprunt à la banque. 2. Yves va payer comptant. – 3. Sylvain va rembourser son amie, il va payer ses dettes. – 4. Augustin va proposer un prêt à ses clients. – 5. Serge a des dettes, il est de plus en plus endetté. – 6. Colette va prêter 2 000 euros à son neveu.

4 1. monnaie – 2. dettes – 3. emprunt, prêt – 4. cours – 5. budget.

Exercices p. 149

1 1. gagne – 2. touchent, reçoivent – 3. impôts – 4. des honoraires – 5. sa vie – 6. de l'argent de poche, un salaire.

2 1. F – 2. F – 3. V – 4. F – 5. F – 6. F – 7. V – 8. V.

3 1. c – 2. e – 3. f – 4. a – 5. b – 6. d.

Chapitre 22 Diversité, politique et société

Exercices p. 151

1 1. exil – 2. population – 3. italien – 4. immigrés – 5. musulmane – 6. espagnole – 7. l'asile.

2 1. V – 2. F – 3. F – 4. F – 5. F – 6. V – 7. F – 8. F.

3 1. provinciaux – 2. protestante – 3. croyants – 4. nationalité – 5. francophone – 6. beur.

4 1. Il est réfugié – **2.** Elle est française, d'origine étrangère. – **3.** Il est juif. **4.** Elle est naturalisée. – **5.** Il est maghrébin.

Exercices p. 153

1 1. climatiques – **2.** droits – **3.** pollution – **4.** économique – **5.** global – **6.** niveau.

2 1. un bénévole – **2.** un violeur – **3.** un meurtrier – **4.** un policier – **5.** un voleur – **6.** un cambrioleur – **7.** un agresseur.

3 1. volé, déclarer – **2.** faire – **3.** échapper – **4.** arrêté – **5.** assassiné – **6.** cambriolée.

4 1. V – **2.** F – **3.** V – **4.** F – **5.** F – **6.** V.

Exercices p. 155

1 1. journal – **2.** l'actualité – **3.** la presse – **4.** élus – **5.** politiques – **6.** députés.

2 1. e – **2.** d – **3.** a – **4.** b – **5.** c.

3 1. devise, fraternité – **2.** candidat, électorale, élu – **3.** drapeau – **4.** carte – **5.** députée – **6.** vote.

4 1. F – **2.** F – **3.** V – **4.** F – **5.** V – **6.** F – **7.** V.

Chapitre 23 La communication

Exercices p. 157

1 1. g – **2.** d – **3.** f – **4.** e – **5.** a – **6.** b – **7.** c.

2 1. a – **2.** b, c – **3.** a, c – **4.** a, c – **5.** b – **6.** a, c.

3 Bonjour, bien, absents, message, coordonnées, rappellerons.

4 *Exemples de réponses :* **1.** De la part de François Marel. – **2.** Non, merci, je rappellerai plus tard. / Oui, merci. – **3.** Oui, vous pouvez lui dire que Louise a appelé et qu'elle la rappellera plus tard. Merci. / Oui, merci. Vous pouvez lui demander de rappeler Louise, s'il vous plaît ? – **4.** Oui, il a mon numéro. / Oui, je crois, mais je vous laisse quand même mon numéro : 03 52 71 94 22. / Non, je vous laisse mon numéro de fixe et de portable : 03 52 71 94 22 et 06 11 19 92 11. Merci ! – **5.** Oh, excusez-moi ! – **6.** Est-ce que vous pouvez lui transmettre un message ? / Est-ce que vous pourriez lui dire que Louise Barner l'a appelé ?

1   **1.** e – **2.** d – **3.** f – **4.** a – **5.** b – **6.** c.

2   **1.** a, c – **2.** c – **3.** b, c – **4.** a, b, c – **5.** b, c – **6.** a, b.

3   **1.** F – **2.** V – **3.** V – **4.** V – **5.** F – **6.** V.

4   *Exemples de réponses :* **1.** Oui, avec plaisir ! / Non, c'est dommage, je suis déjà pris. / Je crois que je n'ai rien. Je peux te confirmer demain ? – **2.** Si ça ne vous dérange pas, je veux bien, c'est vraiment gentil ! / Non, ce n'est pas la peine. Mais c'est très gentil. – **3.** Pourquoi pas ? Pour voir quel film ? / Oh oui, c'est une très bonne idée ! / Ce soir ? Non, je ne peux pas, je suis pris. – **4.** C'est une bonne idée, mais ça tombe mal, je suis déjà pris. Ce sera pour une autre fois. / Super ! Je n'avais rien de prévu pour ce week-end ! – **5.** Quel dommage ! Je suis déçu. / Dommage, ce sera pour une autre fois. / Ça tombe bien, je n'avais pas trop envie de sortir. – **6.** Oui, nous sommes pris tout le week-end. / Non, pourquoi ?

1   **1.** tenons, mettons – **2.** donne, reçoit – **3.** renseignements, informations, précisions – **4.** conseillé – **5.** parlent, crient.

2   **1.** c – **2.** f – **3.** e – **4.** b – **5.** a – **6.** d.

3   **1.** le conseil – **2.** l'information – **3.** l'interrogation – **4.** la communication – **5.** le renseignement – **6.** la précision – **7.** la promesse – **8.** le cri.

4   **1.** renseignements / informations / précisions – **2.** sont / t'ont mis – **3.** crier – **4.** conseillez – **5.** fort – **6.** mettront – **7.** peine.

Chapitre 24 Débats et opinions

1   **1.** un entretien – **2.** débats – **3.** possible – **4.** dit, ouvert – **5.** répéter – **6.** alors – 7. le silence.

2   **1.** discussion – **2.** une interview – **3.** n'ai rien dit / n'ai pas ouvert la bouche / me suis tue – **4.** discutent – **5.** entretien.

3   *Exemples de situations :* **1.** Un homme politique est interviewé par un journaliste / donne une interview. Le journaliste lui demande : « Que pensez-vous de la nouvelle loi ? » Il répond : « C'est une loi très importante pour notre pays. » – **2.** Il s'agit d'un débat télévisé. Le journaliste anime le débat : « Quelle est votre opinion sur la question ? » L'un des invités répond : « Je suis tout à fait d'accord avec mon collègue. » – **3.** Trois amis discutent en buvant un café. L'un des trois annonce qu'il va se marier. Les deux autres sont très surpris et lui répondent : « Ce n'est pas vrai ! Tu plaisantes ? Ça alors, c'est incroyable ! »

Exercices p. 165

1 1. la parole, mon opinion – **2.** connaître, avoir – **3.** croyez, pensez – **4.** de votre avis, d'accord – **5.** organise, anime.

2 1. f – **2.** d – **3.** b – **4.** e – **5.** c – **6.** a.

3 1. F – **2.** V – **3.** F – **4.** F – **5.** V – **6.** F – **7.** V.

4 1. prend – **2.** coupons – **3.** d'accord, ont – **4.** parle – **5.** donne – **6.** D'après – **7.** participe, participants.

Exercices p. 167

1 1. une manifestation – **2.** une plainte – **3.** une critique – **4.** une protestation – **5.** une dispute – **6.** un reproche.

2 1. compliments, reproches, critiques – **2.** plaintes, réclamations – **3.** ça, correct – **4.** du bien, du mal – **5.** plaintes, critiques, reproches.

3 1. a – **2.** a – **3.** b – **4.** b – **5.** a – **6.** a – **7.** b.

Chapitre 25 L'art et la culture

Exercices p. 169

1 1. expositions – **2.** époque – **3.** historiques – **4.** cultivé – **5.** manifestations – **6.** tableaux.

2 1. V – **2.** V – **3.** F – **4.** V – **5.** F – **6.** F.

3 1. exposition – **2.** culture – **3.** patrimoine – **4.** restauré – **5.** fermé – **6.** exposés – **7.** t'intéresses.

4 On peut voir un château médiéval. Les immeubles derrière ne sont pas du tout de la même époque… Une partie du château, en très mauvais état, est en cours de restauration. Le château est ouvert au public et deux touristes qui s'intéressent à l'histoire viennent le visiter.

Exercices p. 171

1 1. V – **2.** F – **3.** V – **4.** F – **5.** F – **6.** F – **7.** V – **8.** F.

2 1. Non, c'est un film muet. – **2.** Non, il est neuf. – **3.** Non, il est en version originale / en v.o. – **4.** Non, c'est une nouvelle. – **5.** Non, il est en noir et blanc. – **6.** Non, il est inconnu.

3 1. cinémathèque – **2.** tournages – **3.** eu / reçu – **4.** cinéaste – **5.** bouquinistes – **6.** œuvres – **7.** réciter, cœur – **8.** nouvelles.

Exercices p. 173

1 1. F – 2. F – 3. V – 4. F – 5. V – 6. F – 7. V – 8. F.

2 1. e – 2. d – 3. a – 4. f – 5. b – 6. c.

3 1. pièce – 2. mise – 3. chef – 4. orchestre / groupe – 5. conservatoire –
6. metteur – 7. public.

4 1. un écrivain – 2. un(e) acteur(-trice), un(e) musicien(ne) – 3. un(e)
spectateur(-trice) – 4. un(e) ministre de la Culture.

Activités communicatives

N° 1 – Sam et Fanny : la rupture !
Exercices p. 174

1 1. V – 2. F – 3. F – 4. F – 5. F – 6. F – 7. V – 8. V.

2 1. ont passé – 2. a traversé – 3. a perdu – 4. a fait – 5. a demandé.

3 1. relation, liaison – 2. répétition, tournage – 3. déprimée, enceinte –
4. divorcé, célibataire. – 5. mariés, séparés.

N° 2 – À chacun ses vacances !
Exercices p. 175

1 a. *Carte postale n° 1* : 1, 3, 5, 6, 7 – b. *Carte postale n° 2* : 2, 4, 8

2 1. crevé, fatigué, lessivé – 2. froide – 3. de chien, affreux, épouvantable,
terrible – 4. terriblement chaud, une chaleur insupportable / torride –
5. antipathique – 6. marié.

3 1. sous – 2. de la planche à voile – 3. un coup de soleil – 4. un temps
splendide – 5. bonne – 6. passent.

N° 3 – Un nouveau poste
Exercices p. 176

1 1. F – 2. F – 3. V – 4. V – 5. V – 6. F – 7. V – 8. V.

2 1. cadre – 2. au chômage – 3. coupe – 4. fait – 5. point de vue – 6. gère.

3 1. d'intelligence – 2. patron – 3. chômage – 4. cadre – 5. la parole –
6. équipe.

N° 4 – La vie quotidienne…
Exercices p. 177

1 1. texto n° 4 – **2.** texto n° 8 – **3.** texto n° 5 – **4.** texto n° 1 – **5.** texto n° 10 –
6. texto n° 3 – **7.** texto n° 7 – **8.** texto n° 9 – **9.** texto n° 6 – **10.** texto n° 2.

2 1. oui – **2.** oui – **3.** oui – **4.** non – **5.** non – **6.** non.

3 1. Tenez / tiens – **2.** se dépêcher – **3.** vaut – **4.** a eu – **5.** s'entraînent.

N° 5 – Une mauvaise surprise
Exercices p. 178

1 1. F – **2.** V – **3.** F – **4.** F – **5.** F – **6.** F – **7.** V – **8.** F.

2 1. c – **2.** d – **3.** e – **4.** a – **5.** f – **6.** b.

3 1. tiroirs – **2.** appareil photo – **3.** tableaux – **4.** poupée – **5.** l'aspirateur –
6. la police.

N° 6 – Une belle réussite !
Exercices p. 179

1 1. V – **2.** V – **3.** F – **4.** V – **5.** V.

2 1. entreprise – **2.** ont discuté – **3.** montre – **4.** est admis – **5.** est provincial –
6. logiciels.

3 1. fait, études – **2.** emprunté – **3.** admise – **4.** prêt – **5.** réfugié, l'asile.

N° 7 – Un passionné d'écologie…
Exercices p. 180

1 1. V – **2.** V – **3.** F – **4.** F – **5.** F – **6.** F.

2 1. b – **2.** e – **3.** f – **4.** g – **5.** a – **6.** d – **7.** c.

3 1. embauché – **2.** passionnant – **3.** m'ennuie – **4.** assez – **5.** se déplace.

4 Phrase n° 2.

N° 8 – Comment tu t'habilles ?
Exercices p. 181

1 1. V – **2.** V – **3.** F – **4.** F – **5.** V – **6.** F – **7.** V – **8.** V – **9.** V – **10.** F.

2 1. Elle est fauchée. – **2.** Ça coûte trois fois rien. – **3.** Elle n'a plus rien à
se mettre. – **4.** Elle jette l'argent par les fenêtres. – **5.** Elle a le cœur sur
la main. – **6.** Elle est au régime.

3 1. mettre – **2.** va – **3.** fenêtres – **4.** trois – **5.** pris – **6.** est.

N° 9 – Comment peut-on être français ?
Exercices p. 182

1 1. V – **2.** V – **3.** F – **4.** F – **5.** F – **6.** F.

2 1. semestre – **2.** bilingue – **3.** de gauche – **4.** débat – **5.** compliments.

3 1. profs – **2.** se passent – **3.** disputent – **4.** d'accord – **5.** réussi.

N° d'éditeur : 10231830-Dépôt légal : octobre 2011
Achevé d'imprimer en France en novembre 2016 sur les presses de la Nouvelle Imprimerie Laballery
N° d'impression : 611129

La Nouvelle Imprimerie Laballery est titulaire de la marque Imprim'Vert